Paroles d'amour et de liberté
est le dix-neuvième ouvrage publié aux Éditions du
Québécois et le premier dans la collection
« Poésie du pays » dirigée par Pierre-Luc Bégin.

COLLECTION « POÉSIE DU PAYS »

La collection d'ouvrages poétiques des Éditions du Québécois a été lancée afin de promouvoir la parole engagée des poètes d'ici. Elle a pour but de montrer que la poésie québécoise continue de s'enraciner dans la conscience nationale d'un grand nombre de nos poètes et qu'elle ne cesse pas de nommer le pays à naître.

Il s'agit de donner un porte-voix à tous ces afficheurs qui ont le courage de hurler.

Les Éditions du Québécois jouissent pour leurs activités du seul soutien des militantes et militants indépendantistes qui supportent son œuvre. Qu'ils soient ici remerciés. À ce sujet, remerciements particuliers au journal *Le Québécois*, partenaire privilégié des Éditions du Québécois.

Pierre Schneider

PAROLES D'AMOUR ET DE LIBERTÉ

Éditions du Québécois

Éditions du Québécois
2572, rue Desandrouins
Québec, Québec
G1V 1B3

Tél. : (418) 661-0305

www.lequebecois.org

Conception et réalisation de la couverture : Cocorico
Communication.

Classement :

Schneider, Pierre (1945 –)
        Paroles d'amour et de liberté

Littérature québécoise – Poésie québécoise

Distributeur : PROLOGUE

Diffuseur :

DLL Presse Diffusion
1650, boulevard Lionel-Bertrand
Boisbriand, Québec
J7H 1N7
(450) 434-4350
www.dllpresse.com   .

ISBN 978-2-923365-19-0

Dépôt légal – Bibliothèque et Archives nationales du Québec, 2007

Dépôt légal – Bibliothèque et Archives Canada, 2007

Pierre Schneider

PAROLES D'AMOUR ET DE LIBERTÉ

Éditions du Québécois

Aux camarades disparus

Hubert Aquin
Jacques Ferron
Gaston Miron

Introduction

Ce modeste recueil comprend des poèmes écrits sur une très longue période. Je l'ai donc divisé en quatre parties. D'abord, *Lueur de crépuscule*, première partie qui comprend des textes écrits entre l'âge de douze et dix-sept ans. Puis, *Fureur de l'aube*, des cris du cœur de la période des actes révolutionnaires et de l'incarcération. Par la suite, *Les chiens du midi*, poèmes de la période des années de journalisme et, enfin, *Nuits dans la géhenne*, partie écrite à une époque plus récente de turbulences émotives qui ont fait ressurgir mes maux et mes mots.

En annexe, *Paris je t'aime*, un hommage à la Ville Lumière, a été écrit quand une maison d'édition montréalaise, qui devait publier un ouvrage sous ce titre, a fait appel à plusieurs auteurs québécois. Le projet n'a jamais vu le jour, faute de subventions. J'y laisse ma mémoire vagabonder dans les allées du Père-Lachaise, fameux cimetière où j'ai pu musarder à satiété au printemps 2002. J'y sentais vibrer l'âme immortelle de mes amis poètes disparus.

« Ma bouche sera la bouche des malheurs qui n'ont point de bouche, ma voix, la liberté de celles qui s'affaissent au cachot du désespoir. »

Aimé Césaire in *Cahier d'un retour au pays natal*, 1937.

« L'Amour, la Poésie, c'est par ce seul ressort que la pensée humaine parviendra à prendre le large. »

André Breton in *Arcane 17*, 1947.

« La liberté appartient à ceux qui l'ont conquise. »

André Malraux, 1945. Discours à l'Assemblée nationale.

LUEUR DE CRÉPUSCULE

Lumière de l'amour

L'amour qui naît
dans le cœur déchiqueté
Un cercle une ligne
un soleil son rayon
Un corps revêtu de sa triste nudité
enlacé dans les bras de ton spectre
Mon cœur asséché
désert aride s'abreuvant
aux flots fluctuants du tien
Nos yeux mornes et doux
confondant leurs regards
Ma bouche mi-close
cherchant tes lèvres
fils de pourpre
L'obscurité
Nos masques et nos ombres
qui scintillent
comme les cristaux de tes yeux
Nos poitrines gonflées
tendues vers l'amour
La lumière du jour
et la passion qui s'endort

Carré Saint-Louis au printemps

Carré Saint-Louis
tout s'embrouillait
je ne voyais plus rien
que ces longs cheveux
tressés dans ma main
que la chair moite
de ton cou
gerbe de rosée
sous mes doigts de pianiste
les accords s'amplifiaient
sous un vent de velours
ô nature ô printemps
ô ma belle
tes cheveux flous
sur mon cœur fou

j'ai fracassé ma montre d'or
pour annihiler le temps
tant je t'aimais
je ne voyais plus rien
rien que toi
rien que nous
et j'écris déjà
à l'imparfait…

La chanson du vent

Poissons ballottés
par les vents
loin des prisons
douce mélodie
fredonnée sans tourments
envolée dans les arabesques
des flûtes fécondes des vents
des flocons se fondent
aux brises du passé
et chantent la chanson des temps
des tempêtes de vents
des ventres amoureux
des vampires licencieux
tout coule et s'écroule
dans l'océan
noir cratère des vents

Tu me tues

L'oiseau
que j'amoure
s'est tu

Impassible et muet
dur et froid
comme glace sèche

Sur ma peau humide
larmes d'abandon
slaloment
comme skieurs

Je marche
entre les fientes
de l'oiseau convoité
qui s'est tu
qui me tue

Lèvres de neige

La pluie embrasse la neige
de ses lèvres mouillées
les arbres pleurent
tout est moche
tout est sloche
les miroirs des trottoirs
ont le cœur fendu
et ceux de mon âme
scintillent comme ostensoir
la pluie
embrasse la neige
de ses lèvres humides
les miennes
assoiffées
baisent ton image
radieuse
comme mille milliards
de soleils brûlants

Comme des petits moutons

Étouffé étranglé englouti
dans un silence de charbon
rêves réalité hallucinations
où donc est la raison ?
Des oiseaux poids plume
tournent en rond
ronds sans triangles
aux sons des concertos
dans le clair de la lune blême

Soleil fondu
évaporé disparu
nuages qui s'enlacent
dans le lit des cieux d'acier
qu'ils tachent
avant de s'en aller
comme des petits moutons
suivre leur berger de fatalité

Et moi j'en ai marre
de mes nuages, de mes oiseaux
de ma peau
Une autre cigarette
d'autres fumées d'autres mirages

Mon verre vide comme l'air
mon nectar de vie
évaporé
mes oiseaux envolés

mes eaux calcinées
mes cafards m'étouffent
je souffre

Marche à la mort

Je m'en vais tout droit
je marche vers la mort
je compte les jours et les mois
du film de ma vie
qui tout droit me conduit
au vert cimetière
où repose grand-père
j'ai douze ans et déjà
ne rêve que de trépas
je sais où je vais
je sais où tu vas
je marche d'un bon pas
je m'en vais tout droit
je marche vers la mort

Simple velours

Ce velours qui caresse mon âme
jubilation passagère
au cœur des éphémères
je suis féru d'amour
pour ce simple velours

Ce zéphyr lascif
m'étourdit de fraîcheur
comme une Oréade voilée
d'une souquenille ensanglantée
je plonge dans le doux-amer

Ce velours qui caresse mon cœur
grisante euphorie
qui me transporte au paradis
je suis féru d'amour
pour ce simple velours

Mes yeux

Mes yeux m'ont fixé
et les petits points noirs
m'ont effrayé
j'ai vu mes yeux
de mes yeux
j'ai vu mon corps
avec mes yeux
j'ai vu le néant
avec les yeux de mon corps
j'ai vu un esprit vacillant
sous la houle noire
de mes pensées
j'ai vu un commencement
je verrai une fin
où est donc l'éternité ?
Ce mot qui sautille sous mes yeux
est-il formé de lettres, de raison
ou de vérité ?
J'ai vu mes visions
gens qui souffrent sans raison
celui qui combat son destin
l'argent que je veux mépriser
l'argent obstacle à la liberté
de mes yeux embués
de mon esprit animé
de toute éternité
au terme du vagabond voyage
au terme d'enivrants mirages
ô terre ô soleil ô mer

je vous rends mon esprit
mon corps et mes yeux

Jazz track

Ma main délurée
explore ton fin visage
sculpte ton nez mutin
et s'abreuve à tes lèvres
gonflées de vin et de poésie
et mes doigts brûlants
reposent sur ton sein

Je greffe mon cœur au tien
tes veines lacérées sont miennes
et nos sangs réunis
s'écouleront à l'unisson
Nos voix asséchées
déclineront une mélopée
à la gloire de l'amour
sur un air de Miles Davis
sur notre jazz
détraqué

Le tout s'est envolé

Oiseau léger
j'ai volé une vie
d'un point
à ses antipodes
tout fouillé
tout aimé
tout renié

Oiseau naïf et pur
je me suis fondu
dans le mirage
de l'absolu
tout pénétré
tout transpercé
tout humilié

Oiseau désolé
drapé de noir deuil
tout n'était que chimères
mythes ensorcelants
vaines utopies
mais le tout
n'est plus rien

Femme au pubis défendu

Vertiges incandescents
flamme barbare au sein
grisantes laves
ô femme d'argile et de poussière
ô valse dans le roulis amoureux
ô princesse parée d'or et d'ivoire
manne aux mamelles ruisselantes
je goûte le nectar défendu
de ton pubis détendu

Rythmes de pluie de verglas
sur les macadams solitaires
des herbes folles
se saluent
dans les espaces infinis
où gît l'ennui
et l'oubli

Ton souffle

Tu ranimes
la flamme moribonde
en écartant
de mon cœur
la tiédeur

Tu la nourris
de souffle incarnat
jaillissement flamboyant
Et je souffre
et tu ressouffles…

Mers et pluies de sang

Une pluie de sang opaque
brouille les glaces du palais
les nuages crachent de l'amertume
et dans ces milliards de gouttes
j'erre sous les vents ardents
qui se déchaînent en bavant

Les étoiles mouillées
et la lune noyée
n'illuminent plus ma barque
dérivant dans des ports inconnus
entre mille autres épaves
- les névrosés, mes frères -
qui voguent au désespoir
en fouettant les mers
les mers et les pluies de sang

Une fusée vers l'infini

Prisonnier des ténèbres
j'ai hurlé et rugi
comme lion en cage
dans la nuit sombre
des sons stridents
me propulsaient
telle une fusée
vers l'infini azuré

Dans cette cité sans lois
mes yeux paralysés
de stupeur
laissaient couler
lentement
quelques gouttes
de sang

Je suis Dieu

Symphonie naissante
bouquet de voix virginales
tout chante
ces célestes matins d'avril
où l'esprit concassé
s'élève sur les dépouilles
glacées des dieux
tristes macchabées

Je suis Dieu
je jouis, je ris et je pleure
je suis le dieu des aliénés
prophète d'un âge d'or
je suis le dieu
qui renie les dieux
je suis le dieu
qui n'a qu'une adorée
la liberté

Les mots assassins

Je suis ombre glacée
spectre intouchable
statue de marbre
impassible
d'où jaillissent rêves fantastiques

Je suis celui dont les mots tuent
en se moquant de tout et de rien
je suis celui des mots assassins

L'animal cruel de la création

Millions d'années d'oppression
pèsent sur mes fragiles épaules
de vieil enfant qui ne sourit plus

Millions d'années
de damnation
d'éternelles répétitions
où l'homme demeure
l'animal cruel de la Création

Et bientôt…
dans la paralysie de mon esprit
je déclinerai la rouille des mots
Bientôt…

Masques en noir et blanc

Les masques blancs sommeillent
les masques noirs s'enivrent

Et je voudrais me démasquer
tout démasquer
démasquer Dieu… s'il existe

Rompant un à un mes chaînons
m'affranchissant de toute entrave
titubant comme un enfant

Les masques blancs
prient pour les masques noirs
les masques noirs
se moquent des masques blancs

Et je m'agenouille devant
dame Liberté
je crache à la gueule
de l'hypocrisie
Sans masque, qui suis-je ?

Les masques blancs
les masques noirs
les hommes en noir
les enfants blancs

Il fait cendre sur demain

Je brûle mes lèvres roses
sur les yeux brûlants des soleils
et t'embrasse paradis
au goût de miel et de roses

J'ai la peau à fleur d'amour
chairs torturées de caresses
de détresse

Au pays bercé
dans les bras de la solitude
chercheurs d'or et de lumière
poseront aux sources de la vie
le souffle immortel
de leur poésie

Il fait feu sur mon cœur
blancs mes espoirs
de survie
et il fait cendre
sur demain

FUREUR DE L'AUBE

Au cachot de la liberté

9270 mon identité déchue
mes rêves au cachot isolés et perdus
9270 au feu de vos enfers
mon cœur incendié au brasier
des espoirs déçus
9270 dans ma chair qui saigne
pour la liberté de l'homme
quand mon âme torturée
se tarit au désert de l'amour
9270 qui te cherche et t'appelle
de sa nuit sans étoiles
ô ma sœur ma chimère et mon deuil

Le drapeau de la révolte

Souvenirs et angoisses s'entremêlent
dans ma tête vide et troublée
de jeune poète au verbe perdu
qui crève de soif
pendant que les heures coulent
comme des eaux stagnantes
en ces murs froids et austères
où je berce mal mes désillusions

Que claquent les vents
pour faire lever
le drapeau de la révolte
mon cri se heurte au néant
de l'aurore blême
fétide et muette comme le cafard
qui me tient compagnie

Je me confonds avec le sombre obscur
de cette nuit longue
comme l'infini
nuit sourde et déchirée
de complaintes frénétiques
étoiles égarées privilèges des dieux
quand mon être massacré
se désagrège d'incertitude

Blafard et livide ô blues langoureux
cacophonies obscènes
crachats de désespoir

dans le cœur noirci
d'une larme ligotée

Les malicieux les incrédules
et les hirondelles
l'or des richards et l'orgie
en robe noire
le cinéma de quartier
illusions éblouissantes
du charme des vamps

Impasse et incantations
pourpres aux rosées de l'aurore
j'ai la tourmente en bourrasque
dans mon attente mal résignée
d'un clair d'étoiles
d'une marche
à l'amour
et à la liberté

Frères d'encre et de tourments

Villon Verlaine Apollinaire
frères de sang et de bagne
nostalgie des amours perdues
échouées sur les murs sombres
et pervers du silence
Villon François mauvais garçon
Verlaine Paul illicites amours
Apollinaire Guillaume
fleur de révolte
parfum violent de passion
frères d'encre et de sang
dont je reconnais
la quête miséreuse
de beauté tourmentée

Pays vendu et perdu

Québec mon pays vendu et perdu
ma ville incendiée
plaie vivace gonflée de haine
dans la solitude givrée
des amours fracturées
et la poésie du pic et de la pelle
du béton et des rêves éclatés
du marteau qui cogne
sur l'aile de l'espoir
de l'oiseau d'où les joies s'envolent
comme mirages
dans ma cage de fer
le mal de la cruauté des regards
indécents posés sur
la sécheresse de mes larmes
regards et nombres
fracassés bousculés
dans ce carcan cosmique
où ma mémoire se remémore
le goût de tes lèvres de feu
qui me manquent tant

Je te cherche

mon cri
s'est étranglé
balbutiements murmures
effarouchés
et ton long silence
égaré
je te cherche
ma belle évanouie
en mes rêves acharnés

Mon mur mon mirador

Pour m'abreuver au cristal des jours
arracher de mes dents l'écorce
des nuits de cachot
faire jaillir le sang chaud de la terre
je quémande un rayon de soleil
masqué par les ombres grises
de mon mur orné de miradors

Innocente et fragile
comme blanche fleur des prés
caresse de tes yeux pétillants

Je t'affiche nue

Solitude fleur déchue
de mon pays
je t'écris sur les murs sales
de ma cellule
et je t'affiche nue
sur le visage de mon ennui

Terre d'ici terre trésor terre amour
aux yeux perlés de joyaux étincelants
giron d'argile femme accueillante
qui me berce
doucement

Terre forêt brûlée de soleil
flamme folle
d'une sève éclatée
pour la célébration
de la vie

Dans un matin de satin

dans un matin de satin
bercerai ta tête chérie sur mon cœur
et tes doigts de fée
s'étoileront sur mon corps
aurore boréale arc-en-ciel de lit
sur ta bouche un nectar de rosée
dans ma blanche nuit
pour échapper à ma terreur
de bagnard qui tourne
et qui fait des ronds
au royaume des animaux sauvages
qui affilent leurs crocs
pour déchirer leurs proies
la terre balance sa carcasse
aux pôles des saisons
mortes ou vivantes
c'est sans importance

Le pays perdu

Être soleil de bronze
au sein de nos amours
resplendir comme aurore
en ces nuits de misère
être de fer être de feu
au carnaval des illusions
détrempées par une pluie de suie
le rouge des masses
le bleu des rois
et le vert
qui nous propulse
au pays perdu des montagnes

Une tête à guillotiner

Pour mon pays pour mon frère
au sang commun de la révolution
Éluard mon frère Aragon
nos chaînes d'amour éclateront

tu disais bonjour tristesse
j'écrivais bonjour prison
et l'espoir en nos veines
nous grisait d'illuminations

vingt ans de pureté chimérique
vingt ans de passion volcanique
vingt ans d'intransigeance et de fierté
vingt ans d'enfermement

j'ai la tête farcie de liberté
faudra peut-être me la couper

Le cœur colonisé

Sous mes paupières éblouies
mille océans dansent en roulis
sur ma paume inutile
un pétale de l'argile un jardin
et sur l'écran de mes murs
les couleurs confondues
en musique du pays

dans mes larmes chaudes
j'apprends le langage des vents
des mouettes et des neiges
un pigeon dans ma cage
petit bonheur de rien
message pour le large
et le pigeon voyage

dans mon cœur colonisé
la misère d'un peuple conquis
le désespoir de mon père
et la haine des tout-puissants

De miel et de roses

Je brûle mes lèvres
à ton goût de miel et de roses
j'ai la peau à fleur d'amour
au pays bercé de solitude

chercheur d'or et de lumière
je veux pousser aux confins de la vie
le souffle haletant de ma poésie
qui consume mon cœur éclaté
jusqu'aux cendres de demain

Je pars à la guerre

Les lendemains sont sans fin
et les jours lents se creusent
dans l'ennui assassin
la poésie a foutu le camp
la poésie
la vie
sur les courbes de ton indolence
j'ai cru trouver mon espérance
mais ce n'était que jeu pervers
je m'en fous
je pars à la guerre

dans tes yeux
des étoiles
et dans ton cœur
une pierre

L'arbre qui va craquer

Je suis seul comme un arbre oublié
dans une toundra de mousses
vertes et vieilles
et la folie de t'aimer
transperce la monotonie
de mes jours obscurs
princesse de mes rêves
je suis arbre sec
qui va craquer

Mirages et vertiges

tout m'échappe dans le noir
mes étreintes ne retiennent
que mirages et vertiges
mon sang bouillonne d'amour
et de haine
j'ai beau m'agripper me pendre
aux cheveux de l'espoir
tout coule tout s'écroule
je remise mon âme
dans les vieux tiroirs
de la tendresse perdue
j'ai mal à mes naufrages
à mes saisons mortes asséchées
comme feuille abandonnée
qui ne pourra plus s'envoler

Masturbation royale

Corps tatoués de chiffres
comme bétail yeux noircis
par l'humiliation
battements murmures
plaintes sordides des nuits
quand les cœurs d'enfants se dilatent
amours tranchées en saucisson
par des larmes de béton
sous le bleu du ciel
des goélands affamés
s'en vont librement

haines vices crimes et viols
d'innocence
la reine au spectacle
se masturbe de joie

La force de mon âge

J'ai la force brute de l'esclave
muscles bandés et enchaînés
j'ai la force de mon âge
vingt printemps de vigueur
pour faire éclater les glaces
des hivers décharnés
j'ai la force d'Ulysse en exil
vertigineuse épopée de mon pays
j'ai la force des genoux
inflexibles et se tenant debout
et par-delà les murs de béton armé
je joins ma voix
aux grondements de révolte
hurlant comme un loup blanc
non non et non
à toute servitude

La vie en rouge

Du petit transistor s'échappe
une musique démodée
des mots sans substance
qui ne me parlent plus
je n'entends plus que les silences
les abysses et les absences
le mur est vert désespoir
les barreaux de fer noirs
comme les bestioles envahissantes
noir ce jour
vert ce mur
bleus mes yeux
et rouge la révolution

Au pays des morts-vivants

Amour
je t'avais dit mon prochain voyage
tu songeais à quelque pays étranger
où j'aurais bu dans des cafés
mais me voici maintenant
au pays des morts-vivants
c'est un voyage long et profond
où je me confonds avec la multitude
des parias mes compagnons
quand je me retrouve nu
sous les yeux égrillards
de cent autres détenus

J'avais quinze ans

J'avais quinze ans et de la rage
plein les dents
je voulais me couler dans la mort
Styx fleuve noir
de ma liberté
pendant que le *fureur* écarlate
me faisait trembler de terreur
et que la mère s'effondrait
sous ses narco-dépresseurs
j'étouffais ma honte
étranglé par ma peur

Le château de mon père
était nid de poison
comme cage dorée
pour écureuil piégé

J'avais quinze ans et m'abreuvais
aux explosifs cocktails
distillés et fermentés
dans les fruits amers de l'union sacrée
de Hitler et de Mère Teresa

J'avais quinze ans, une âme d'agonisant
qui ployait sous le fardeau
d'une souffrance millénaire
rêvassant jour et nuit
d'une superbe égérie
dont je serais l'amant

J'avais quinze ans
et dans ma tête brûlée
j'esquissais en arabesques
désordonnées
les couleurs enivrantes
de ma liberté

Pour ne pas mourir à quinze ans
j'ai troqué blanche colombe
pour poudre et fusils
j'avais quinze ans
et le mors aux dents

LES CHIENS DU MIDI

La femme et le chien

Un chien en robe noire
zébrée de fauve
et tachée de lait
roule dans l'herbe du matin
verte de rosée

La femme ensommeillée
yeux lourds d'olives noires
enfile pantalon indigo
et chemisier blanc
sur son slip mauve

L'homme dépouillé
de ses lunettes roses
grille sa clope infâme
s'extasie devant
les bouquets arc-en-ciel
du jardin silencieux

La vie affronte encore
Thanatos fils de la nuit
dans la roue infinie
de l'entrave temporelle
de l'espace incolore

En ce dimanche pacifique
lasse des guerres inutiles
la vie
croît ou meurt
dans ses rêves évanescents

Mon jardin bienheureux

Mon chien tricolore
joue et s'ébroue
dans l'herbe maculée
d'excréments canins
se vautre
dans la vie de la vie
quand il n'en reste plus
que des crottins fétides
sur le lavis d'encre
où loge l'impossible empyrée

Une étoile file sa voie lactée
s'étiole et se désagrège
en bouquets de diamants
elle a vécu ce que vivent les roses
l'espace d'un festin

Éclaté
mon fauve zen
est un sphinx doucet
qui cause aux fantômes
quand les esprits
parlent chien
il médite avec langueur
bavarde avec les fleurs
s'extasie devant rien
dans mon jardin bienheureux

Le chien de Victor

Le poète
écoute le silence
pour entendre la voix
de son maître
comme le chien de Victor
le phonographe désuet

Le poète expire
les maux de l'univers
cacophonies et symphonies
euphorie pathétique
il aboie
les vers de la terre
pour les sourds bipèdes
qui n'en n'ont cure
condamnés à acheter
du rêve préprogrammé
dans les temples mercantiles
et sans âme
du devoir vivre
en communion désacralisée
la pauvreté de l'abondance
Le poème
désert insondable
assoiffé
de beauté éthérée

Chronique d'une nuit d'été

Le ciel s'illumine
de zébrures phosphorescentes
j'avale une goulée de smog
abattu et échu
dans mon refuge perdu
chemin de l'amitié

Noire comme suie
la voûte infinie
est blanchie comme argent
dans les bars interlopes

Je hume les effluves enivrants
de l'air saturé d'humus
j'allume et je grille
la titine de Nicot
brave toutou s'est caché
recroquevillé dans sa peur

Un char lumineux
flotte sur des lueurs
vert bouteille
je me tire un tarot
pour me sauver des eaux

Le ciel est blafard
il tremblote
c'est la mi-août
les étoiles ont filé

sous d'autres cieux
encore plus doux.

Tes yeux de feu

À Nicole

Une nuit
sans sa poésie
lune voilée
mélancolique
comme si tes yeux
n'avaient pas de feu

Tu somnoles épuisée
nue comme au premier jour
sensuelle comme l'amour
et je veille
je te contemple
comme une icône
idolâtrée

Un frisson de brise
suave fraîcheur
tranche le souffle
de l'air trop chaud
je te respire et je te hume
dans la moiteur des draps
et ton odeur m'enivre
comme des alcools sublimes

Une nuit
sans le feu de tes yeux
c'est un bar fermé
au petit matin gris

une poésie de nuit
à jamais inachevée

Aux lyres du matin

Lyres du matin
délires assoupis
l'œil de lumière
fixé comme seringue
dans le point d'ancrage
de mon âme étiolée

L'aube émeraude
évacue la torpeur
des cimetières
désincarnés

Mille fantômes se pressent
sur le chemin des écoliers
il n'y a jamais de repos
pour les esprits agités

Les ombres de la torpeur
délivrés à l'éclosion du jour
au son des sonates
empourprées de vie

Nous étions numéros

Seul
comme dans une cellule
quand nous étions numéros
seul et déchiqueté
fragile comme verre
sous apparence de pierre

Seul
entre deux
tendresse pitié
et douce volupté
je suis toujours seul
à mourir ma vie
et à vivre ma mort
seul
comme dans un rire
grinçant
un son discordant

Seul
au pianographe
de mes mots
qui t'emportent
qui m'emportent
qui s'emportent
et qui s'envolent
éparpillés et seuls

Je me relève ou je crève

Je suis poète trucidé
en liberté provisoire
et la mort j'attends
yeux dans tes œufs
sunny side up
and speak anglais
en Amérique
terre de friche et de frites
et de statue of liberty
symbole d'obésité

je suis poète condamné
drapeau anglais
ai osé brûler
poète iconoclaste
des statues dynamitées
je suis poète encagé

je suis poète révolté
Westmount et ses oiseaux de proie
ai osé chasser
je suis poète
encellulé

Bordeaux beach et ses parias
section des têtes brûlées
me voici me voilà

Je suis poète évadé
direction soleil Cuba
avec marins espagnols
sur la terre de Saint-Pierre

Je suis poète envolé
dans le ventre d'acier
d'un oiseau Cessna

Boston city jail avec ses Noirs
encrassés yeux exorbités
frères révoltés
des panthères noires
je suis poète enragé

Retour au pays conquis
nouveaux barreaux
nouveaux bourreaux
je suis poète condamné
à quémander bouts de papier
je suis poète codé
classifié
numéroté
et épié

Je suis poète dénaturé
qui s'abreuve au sang
de suicides
désespérants
dans le corridor
de la mort

Abattu et fourbu
je me relève
où je crève

Le premier oeuf

C'est Pâques
le soleil s'éclate
et me mystifie
il crucifie les nuages
de ses dards irradiants

C'est Pâques
et le soleil
bombe cosmique
liquéfie la neige grise
du Mont-Rolland
comme une eau transmutée
en vin de pâquerettes
et dont la lie
de la vie mousse
comme une crème
fouettée avec ardeur

C'est Pâques
et tous les Christ ressuscités
s'enivrent
de l'eau du jour
loin des tourments et des pleurs
du sang béni
et des grincements de dents
de la divine flagellation

C'est Pâques
et le mont blanc

de Mont-Rolland
se chauffe en son sein
aux sons des gazouillis
à la fois hymnes et cantates
et symphonie immaculée
à la mort de la mort
à l'éclosion magique
du premier œuf

Nuit de givre et de feu

Aveuglé par une fureur impitoyable
révolté contre dieux et muses
j'éructais ma rage bilieuse
dans les voies célestes
de ma poésie
que je reniais avec violence
que je piétinais dans la boue

J'avais dix-huit ans
et mon idéal effondré
venait me hanter
en cauchemars récurrents

Tremblant de crainte
comme oisillon égaré
je parcourais en crânant
les ténèbres
pour culbuter dans les catacombes
des morts-vivants
où mon âme déboussolée
s'esquivait sous son masque
de glaciale torpeur

Honnissant toute littérature
je ne mordais plus
dans la chair des mots
que pour y faire jaillir
le jus de ma haine
de cette société

dont j'étais le paria
l'exclu et l'oublié

Sur les traces anciennes
de Dante et de Céline
je découvrais avec terreur
que mon visa pour l'enfer
me propulsait dans un voyage
vertigineux
tout au bout
tout au fond
de la nuit

Mon âme désâmée
errait sans foi ni loi
vers les confins troublants
de ma crucifixion
sur l'autel
de mes enfers artificiels
J'étais néant
je n'étais plus
qu'un vieil enfant
très fourbu

Et le soleil se fit lumière
après dix-sept hivers de givresse
et le soleil se fit lumière
ouvrant de nouveau mon cœur
aux pures délices
de la poésie

La folie des poètes

La tête toute éclatée
entrouverte sur l'espace azuré
pour laisser onduler
les nuages
ils montent aux barreaux
en sifflant leur douleur
yeux rivés sur l'infinie
cœur flagellé
la larme fiévreuse
enchaînée avec pudeur

Ils sont libres et tout-puissants
bien qu'honnis et méprisés
ils sont fiers de leur verbe
riches d'intensité
ils aiment à en crever
et ils meurent de trop espérer

Êtres d'eau de chair et de sang
prêts à se rompre les os
sous les murailles grises
de l'indifférence

Ce sont des terrestres extras
presque surhumains
par la force de leur vision
demi-dieux déchus
anges gardiens de l'univers
ils sont fous de beauté

fous à lier
les poètes !

Plus loin qu'un au-delà

Au-delà
des mascarades et des pétards
de la lumière de l'ombre
et des projecteurs
des clôtures des barbelés
et des miradors

Au-delà
des mers des rivières et des lacs
des odeurs des parfums et des fleurs
des nuages de la pluie et des vents
des rivages du sable et des forêts

Au-delà
de la honte de la peur et des remords
du jour du soleil et de la nuit
des saisons des couleurs des siècles
des mystères grands et petits

Au-delà
de l'amour de la vie de la mort
des cascades et du torrent des passions
des péchés de la vertu de la félicité
de la souffrance et du malheur

Au-delà
de la guerre des combats de feu
des Tropiques
de l'Europe
et des Amériques

Au-delà
du ciel de l'azur et de l'infini

Je te retrouverai

La vie synthétique

Dans les cerveaux des robots
grouillent et s'agitent des puces
machintoches
quand la vie se défile
sur verre cathodique
quand la vie se confond
à une programmation
qui ne tient qu'à un fil
ô file la laine…
file le temps
dans la vie synthétique
exposée en noir et blanc
sur écran éblouissant
de mille couleurs
dans le cerveau des robots
les puces ont avalé
la pensée
l'ont numérisée
cataloguée classifiée
loin bien loin
de la mémoire temporelle
ils l'ont digérée
dans un espace compressé
tout miniaturisé
où elle n'a pas à penser
ainsi vont les robots
ça cogite
en numéros
c'est omniscient

ça *souris* bêtement
en pianotant sur clavier
j'ai cherché lunes pleines
soleils ardents
et je n'ai déniché
que lettres et accents
pour construire des mots
comme dans un mécano
et j'ai cherché tant et tant
l'émergence d'un sentiment

dans les cerveaux des robots
pullulent bizarres de puces
des machintoches
et autres fantoches
dans une vie linéaire
qu'aurait vomie Apollinaire

dans la nuit des robots
omnipotents omniscients
il y a plein de cerveaux savants
et de vies artificielles
en si peu de temps
il y a tout tout tout
… sauf le sentiment

Ferme bien tes yeux

Ferme les yeux regarde valser
les lueurs aveuglantes
ombres chinoises constellées
de parcelles étoilées de vie
ferme bien les yeux
pour laisser pénétrer
la substance du temps
l'illusion du mouvement
ferme fort les yeux
écoute le silence
ballet polyphonique
glissé dans le berceau
d'une harmonieuse mélopée
écoute bien le silence des lumières
les sons qui transcendent le verbe
les peurs dissolues
dans les bras d'un trépas
qui n'est qu'une diaphane
transparence
comme vent suspendu
dans le carcan du temps
ferme bien les yeux
écoute les vibrations de l'univers
qui explosent en cascades sonores
et dans le silence des dieux
laisse-toi devenir
l'infime et vibrante particule
de la cosmique symphonie

Rue Crescent en septembre

Le bitume enflammé
rue Crescent torréfiée
pétarades de motos
et pétarades sur échasses
de chair et des muscles
bronzés et fardés
regards concupiscents
des m'as-tu-vu machos
qui sucent goulûment
Monte Cristo de Cuba
pillés à la sueur
des humbles cueilleurs
du tabac des riches
odeurs de café de Colombie
et effluves de whisky
les urbains branchés
déconnectés de la réalité

La rue Crescent enflammée
comme brasier de désirs
de corps à corps moites et sauvages
des bipèdes sans âme
soleil brûlant de septembre
quand les glaciers se décomposent
et que la planète bleue
retrouve sa genèse liquéfiée

À la terrasse du café
des âmes mortes

et des cœurs glacés
cotes et décotes de Standard and Pools
grinchent comme ongles sur ardoise
dans les cellulaires grésillants
si lamentablement

Les sandales des flâneurs
amoureux de la rue
éraflent délicatement
l'impassible trottoir
les yeux voilés
sous des verres colorés
dévorent la faune bigarrée
touristes émerveillés
étudiants fauchés
et junkies en manque
de leur dose d'artifice

Les autos chromées
fusées sur essieux
font la queue leu leu
dans le bruit décapant
des klaxons impatients
et des empêcheurs
d'avancer en avant

À l'ombre du café bondé
un arbre solitaire
caressé langoureusement
par une brise fétide

Rue Crescent en septembre
l'opulence s'ennuie
et exhale sa lassitude
de la magie de la vie

NUITS DANS LA GÉHENNE

Au cœur du chaos

Noircis les jours miteux
et blanches laiteuses les nuits
quand le muscle vital
se débat comme les ailes
d'un papillon affolé

Au cœur du chaos
entre chair grisée
et déraison condamnée
l'âme tourmentée
fouille en vain les ténèbres
pour goûter à la joie
de retrouver sa sœur

Willy Nelson est-il mort
quand je l'entends encore
crier révolte et passion
dans le chalet des heures bleues ?

Le soleil s'est tu
muselé ou enchaîné
nos peaux sont à vendre
et de féroces chasseurs
ont juré d'abattre l'amour
ô mon amour
exécuté

Je titube vers toi

Soleil de mes nuits
étincelant joyau
de ma mélancolie
fleur gracile et impalpable
ton âme agitée
s'est imprégnée
avec la force
du béton armé
dans mon cœur écorché

dans rues, ruelles et venelles
je titube vers toi
toi qui me manque
comme l'oxygène
d'une vie qui me fuit

me morfondre de toi
rêve chimère accompli
comme d'un paradis perdu
dans les limbes de l'inconnu
condamné à rêver
de ton corps évanoui
et de ta tranchante cruauté

seul dans cette brûlerie
je te sens nichée
dans mon plexus solaire
seul avec mon spleen
j'écoute mon portable damné

qui ne résonne jamais
du son de ta voix
et j'ai envie de tout lâcher
pour ne plus espérer
le rêve fou de toi
qui me fait encore rêver

La putain du bon Dieu

La putain du bon Dieu
peut allumer le diable
aspirer des bouffées d'éternité
se crucifier avec des aiguilles
mirages de félicité
la putain du bon Dieu
a soif d'*Absolute*
vodka pure pour rincer
âmes et corps souillés
la putain du bon Dieu
carbure aux limites
de sa folle folie
à la recherche de l'infamie

L'ange exterminateur
apaise la rage qui lui tord le cœur
dans les bras de Maria Magdalena
ses idéaux échoués
sur les rives désenchantées
du rêve devenu réalité
l'ange se fait bête
et s'abreuve sans répit
à des lèvres indigo
cascades dégoulinantes
d'une potion ensorcelante

Entre l'amour et la haine
les meurtres et la poésie
la bombe et la bombance
l'ange flirte avec ses démons

La putain du bon Dieu
et l'ange du diable
armés du désir féroce de mourir
pour mieux revivre
loin des hurlements de la nuit
les pieds dans le sable marin
la tête bercée par les nuages
pour s'abandonner en douceur
sans remords empoisonnés
à leur tumultueuse folie créatrice
et être propulsés
tout là-haut dans ce coin perdu
où s'animent les étoiles de feu
dans la musique des sphères sidérales
où ils partageront la table
de la loi des dieux

La transmigration des âmes

Devant ma fenêtre
rue de Liège en chaleur
l'enseigne du dépanneur
hurle ses lettres enflammées
sous mon regard ahuri
rappel de la poétesse détresse
la poudre immaculée
dans nos veines éclatées

À l'hôpital aérogare
un appel vrille dans les haut-parleurs
urgence aux soins intensifs...
trop tard ! La salle des départs
expulse une âme morte

À l'hôpital aérogare
vite un docteur aux accouchements
mais c'est trop tôt
le bébé n'est pas arrivé

Salle des départs
salle des arrivées
à l'hôpital aérogare
des âmes se sont croisées

Je lance des pensées bleues
comme le ciel
vers tes yeux émeraude
et je te supplie de vivre

jusqu'à notre ultime combat
lorsque notre poésie de l'amour
brillera de mille diamants
en syllabes et en voyelles
s'entrechoquant avec tendresse
pour laisser s'accoupler
en lettres magiques
amour et poésie

En attendant l'orage

Les chats chantent
pulsions et ronron
le vent caresse
les nuages sages
la ruelle est en veilleuse
en attendant l'orage

Les yeux bleus du loup
se perlent de gouttelettes
- bonsoir tristesse -
sont embués de brume
dans l'encre de la nuit
mon cœur accélère
son rythme trépidant
et le spectre du néant
transforme en obsession
ma solitude orpheline
dépouillée démunie
sans sa sœur Ophélie

J'écris et je crie

Tu m'en fais voir
de toutes les couleurs
tu es mon arc-en-ciel
pastel
j'écris et je crie ton nom
ma passion

Le mal d'aimer

Remonter le boulevard
de l'engourdissement chimique
pour apaiser et anesthésier
le mal des insoutenables douleurs
se fondre dans la clandestinité
de clowns ultra fardés
grillant au soleil
des botches anémiques
mendiant aux indifférents
le prix de leur honte
de funambules errants
sur des fils gonflés
d'énergie destructrice
la beauté blessée
camouflée sous leurs cicatrices
infectées du mal d'aimer

un jour un jour ou peut-être une nuit
viendront les chants de la liberté
s'il n'est pas trop tard
s'ils ne sont déjà désincarnés

La veine américaine

Cette folie qui m'habite
fille de célestes vibrations
qui entraînent mes chimères
et les propulsent
sur un tapis de magie
cette folie d'euphorie
qui anime et colore mes insomnies
folie physique et pure
qui alimente mes désirs
qui secoue mes pulsions de mort
qui renie mes désespoirs
cette folie que j'emmêle
à celle de l'âme morte dénichée
sur un trottoir à quémander
avec le sourire béat
de la veine américaine
en manque de paradis
cette folie qui m'habite
et celle qui l'allume
celle de l'absolu
qu'on ne vit
que dans les contes de fée
et encore...

La guerre des dieux

Manhattan
dans la poussière grise
et brunâtre du sang
de ses enfants

Manhattan
géante insolente
aux tours dépecées

Manhattan
défiant de ses cimes fragiles
le soleil de Satan

Manhattan
embrasée par le feu
de fanatiques déchiquetés

Manhattan
plaie de poussières blanches
de débris calcinés
de sang innocent

Manhattan
ses veaux aux parures dorées
en plein cœur
d'une guerre des dieux
celui de l'Amérique
le good God
des juifs et des chrétiens

et celui des autres
l'Allah bien-aimé
des mecs de La Mecque
dieux de vérité
dieux de vengeance
dieux de puissance
dieux armés
dieux de destruction
prêts à répandre
les promesses apocalyptiques
des pages bibliques
sur les plages et sur les eaux
de tous les océans
couleur de vin vermeil

À Manhattan
les oiseaux volent encore
au-dessus des ruines
du commerce
ce matin
faste festin
au lendemain
du bal des zélés
ces fous de Dieu
sans autre foi
que celle de la barbarie
déchaînée

Voici venu mon frère
le temps abhorré
des dégénérescences

des horreurs et de la haine
pure et absolue

Voici venu ma sœur
le temps des vols des viols
et des massacres
commis en pleine lumière
pour défier la nuit
au nom de l'amour
des dieux de terreur

Au pied des tours abolies
de Manhattan
les dieux jumeaux
anges et démons
en fusion
se repaissent
cette aurore venue
des restes humains
minuscules particules
tremblotantes
que leur souffle
fera disparaître
de la surface rasée
d'une planète lasse
d'être bombardée

(13 septembre 2001)

« Vous avez plein pouvoir sur mon corps,
mais mon âme vous échappera toujours »

Napoléon à Sir Hudson Lowe. Sainte-Hélène.

« Je n'avais que mon cœur,
je l'ai donné à mon pays »

Louis Riel avant d'être pendu.

« Être un homme, c'est savoir assumer son
angoisse, c'est avoir la force du doute et de l'enga-
gement. Pour être un homme, il faut aussi savoir
assumer ses erreurs »

L'auteur, 21 décembre 1963. Prison de Bordeaux.

Annexe

Paris je t'aime à mort !

Il y a déjà belle lurette que je ne m'étonne plus devant les situations paradoxales que la vie place subrepticement sur nos destins, telles des balises ou des phares pour nous alerter dans la brume opaque de certains de nos parcours et pour nous ramener sur le chemin de la véritable vie, celle qui prend parfois le masque de la mort.

C'était le printemps, à l'aube du siècle nouveau, et Paris pansait ses plaies et ses stigmates à la suite d'intempéries qui l'avaient salement meurtrie. Près de l'hôtel de ville, dans la rue de Rivoli, des panneaux électroniques avisaient le passant que les bois de Boulogne et de Vincennes étaient interdits de circulation. Trop de branches d'arbres jonchaient le sol et des bûcherons de chez-nous avaient même été appelés à la rescousse.

C'est pourquoi un de mes plus agréables séjours dans la ville de toutes les lumières a pris une tangente inattendue quand j'ai décidé ce matin-là d'effectuer une virée de quelques heures chez le Père-Lachaise. Arrivés en milieu de matinée, par la station de métro Gambetta, ma compagne et moi prîmes un malin plaisir à folâtrer dans les allées anciennes en bordure desquelles s'élèvent monuments et mausolées qui nous convient à un merveilleux voyage dans le temps.

Après y avoir pénétré un peu comme un voleur, par une petite entrée dérobée, je musardais depuis un temps indéfini – dans le royaume de l'au-

delà le temps serait une notion tout à fait surannée !
- à la recherche d'âmes perdues et d'époques révolues quand je croisai un préposé à l'entretien du cimetière que mon imagination débridée s'est plu à imaginer en train de patrouiller le secteur à la recherche de poussières évanescentes.

Le fantôme du cimetière

Je me sentais un peu perdu dans ce labyrinthe de stèles grisâtres quand je l'ai abordé pour m'enquérir d'un endroit où je pourrais me procurer un plan des lieux. À la sortie de la station de métro, j'avais été assailli de vendeurs du temple qui m'offraient des itinéraires me permettant de retrouver la tombe de Jim Morrison, mais je m'étais fait un devoir de les ignorer.

L'homme d'entretien, impassible et silencieux comme il convient en ces lieux de recueillement, me tendit un document d'une trentaine de pages sur papier glacé avant de poursuivre sa route, tel un fantôme, à bord d'une petite voiturette.

Un rapide coup d'œil à la brochure m'apprit que l'ange qui avait croisé mes pas feutrés m'avait remis un itinéraire des écrivains du Père-Lachaise, moi qui cherchais justement à me rapprocher des tombes de ces grands créateurs de génie qui avaient bercé de leurs mots magiques le romantisme poétique de mes jeunes années.

Muni de mon plan topographique de l'éternité, je pus aller saluer au passage Molière et de Jean de la Fontaine, génies créateurs éblouissants s'il en fut, dont les imposants monuments s'élèvent au cœur de la 25ᵉ division de cette cité des morts. Puis, comme attirés par une force magnétique, mes pas m'ont conduit vers l'allée où règne modestement mon cher Guillaume Apollinaire, dont je me suis récité des vers inoubliables en me recueillant avec respect sur la sépulture fleurie.

Sous le pont Mirabeau coule la Seine
Et nos amours
Faut-il qu'il m'en souvienne
La joie venait toujours après la peine

Vienne la nuit sonne l'heure
Les jours s'en vont je demeure

Ou encore, d'autres vers immortels, ceux de *Rhérare d'automne*, qu'on imagine le poète décliner à perpétuité.

Le cimetière est un beau jardin
Plein de saules gris et de romarins
Il vous vient souvent des amis qu'on enterre
Ah ! que vous êtes bien dans le beau cimetière

Décédé en 1918, à l'âge de 38 ans, de Kostrowitzky, dit Apollinaire, demeure un de mes poètes préférés et, tout en méditant sur sa tombe où sont gravés quelques-uns de ses vers célèbres, je ne pus que constater à la lecture de mon plan d'outre-monde que l'auteur des *Calligrammes* et des *Onze mille verges* reposait pour l'éternité bien loin de l'artiste peintre Marie Laurencin avec qui il connut une liaison de feu. Les restes de cette dernière gisent en effet dans la 88ᵉ division, à l'opposé de son illustre amant. Ainsi va la mort...

Après le tombeau du poète-soldat, je me suis retrouvé devant celui du grand prêtre de l'introspection et des descriptions précieuses. J'avais devant moi Marcel Proust et j'en profitai pour le saluer bien bas, m'excusant du bout des lèvres de ne pas avoir encore réussi à lire et à savourer les centaines de pages de sa recherche du temps perdu.

Je lui ai promis solennellement de dévorer son œuvre avant ma propre traversée du Styx.

L'homme en noir

Poursuivant ma joyeuse tournée dans ce boulevard de ceux qui se sont tus mais dont les écrits demeurent, je me suis retrouvé deux ou trois pas plus loin à l'endroit où s'élève majestueusement, dominant tout le secteur, l'immense Honoré de Balzac, dont le buste sculpté m'intimidait, comme s'il voulait me rappeler que jamais je ne réussirai à écrire le quart de la moitié des pages qu'il a noircies pour éponger ses dettes en se gorgeant de café.

Ma petite brochure, sur laquelle je jetai un coup d'œil pour échapper au regard inquisiteur du tout-puissant H. de B., stipulait que c'est du haut du Père-Lachaise que le héros balzacien Rastignac avait lancé en direction de Paris son célèbre et inoubliable : « À nous deux maintenant ! »

Une phrase classée au rang des immortelles dans la mémoire collective de tout amateur de littérature, un peu comme celle d'Humphrey Bogart qui lance dans *Casablanca* son fameux « *Play it again Sam* » qui est demeurée une référence obligée pour tout cinéphile le moindrement averti.

Madame Hanska, que le génie avait honorée d'un mariage officiel, l'année même de son décès, repose doucement aux côtés de son surhomme de la littérature du 19e siècle.

– Vous cherchez quelqu'un ?

L'homme tout de noir vêtu qui se tient devant moi me regarde avec un étrange sourire.

– Si je puis vous venir en aide, cela me fera le plus grand plaisir. Je fais partie des meubles (au même titre qu'une chaise peut-être !) du cimetière du bon Père, dont je connais tous les secrets.

J'ai l'impression que mon interlocuteur, qui m'a adopté d'emblée et dont je sens qu'il va m'être difficile de me débarrasser, veut que je le prenne pour guide. Je lui assure que je préfère me promener au gré de mes fantaisies et que je n'ai besoin d'aucun sherpa pour explorer les dédales… des dalles funèbres.

– Mais je ne demande qu'à rendre service. Je passe mes journées ici même à admirer la somptueuse et paisible beauté de ces lieux et je sais où se trouvent tous les grands de ce monde. Vous voulez voir Édith Piaf ? – c'est une des préférés du public, vous savez – eh bien ! je vous y conduis les yeux fermés. Ça vous évite des recherches qui peuvent vous demander des heures et moi ça meuble mon quotidien.

Et le monsieur, aux allures de sexagénaire fringant, m'explique qu'une jeune Québécoise est déjà venue tourner un film sur le Père-Lachaise, en compagnie de son père médecin, et qu'il en avait été en quelque sorte la vedette, expliquant *in camera* les us et coutumes des lieux.

Je lui montre la tombe d'Apollinaire tout en marchant sur l'herbe et l'homme en noir m'en parle comme s'il l'avait bien connu, apportant des précisions qu'on croirait sorties de la bouche du biographe officiel.

Ce véritable groupie des célèbres disparus, fort de son savoir encyclopédique, me raconte plusieurs anecdotes tellement intéressantes que le temps passe comme s'il suspendait son vol. Tiens, où est donc passé ce Lamartine ?

Mon cher Gérard

Enfin seul avec ma compagne, je reviens près de l'univers balzacien pour faire ma grande découverte de cette randonnée que je n'ai jamais considérée comme morbide.

C'est en me retournant de côté, tout juste après avoir rendu un dernier hommage à l'auteur de la *Comédie humaine*, que je l'ai aperçu et que mon cœur s'est mis à cogner comme le tic-tac d'un métronome déréglé.

Sa colonne se dressait là devant nous, comme un pénis en belle érection perpétuelle devant son impossible chimère.

Gérard de Nerval, le poète dont je m'étais cru être la réincarnation au cours de mon adolescence troublée, reposait là, devant moi, dans un tout petit bout de terrain surmonté de sa colonne de granit.

Que d'émotions quand je me suis surpris à réciter à haute voix à ma belle :

Je suis le ténébreux le veuf l'inconsolé
Le prince d'Aquitaine à la tour abolie
Ma seule étoile est morte et mon luth constellé
Porte le soleil noir de la mélancolie

Des vers que je n'ai jamais pu oublier et qui me ramenaient aux heures fiévreuses où, jeune aspirant poète, je passais mes nuits à taquiner les muses à la lueur de chandelles fichées dans des bouteilles vides de Chianti.

Nervalien j'étais et nervalien je suis toujours demeuré, fidèle à ce poète retrouvé pendu dans la nuit de Paris à la suite de ses nombreux déboires, dont son amour impossible pour une actrice de théâtre. Je conserverai toujours précieusement dans mon album souvenir la photo sur laquelle ma douce compagne m'a immortalisé sur la tombe de mon idole de jeunesse.

Que voulez-vous, certains Québécois trippaient fort sur Maurice Richard, d'autres sur la chanteuse Michelle Richard… Moi, mon meilleur, mon frère d'âme et de désespoir, c'était mon cher Gérard !

La passion de Paris

En me dirigeant vers la sortie, je ne pus m'empêcher d'effectuer un dernier arrêt près d'un autre monument autour duquel une dizaine de personnes se pressaient et se recueillaient avec une sorte de religiosité.

J'ai constaté que, même de l'au-delà, Allan Kardec, l'occultiste qui a fondé le spiritisme français et écrit le *Livre des médiums*, exerçait toujours une impressionnante fascination sur ses disciples qui se donnent rendez-vous quotidiennement chez le Père-Lachaise pour se rapprocher de l'esprit du grand maître.

Dans une étrange cérémonie, les adeptes ont adopté un rituel qui consiste à toucher du bout des doigts le tombeau sacré, s'imaginant sans doute s'octroyer de cette façon un ticket virtuel pour une communication avec l'autre monde.

Dans le métro me ramenant station Saint-Paul, au cœur du Marais où je logeais en ce beau jour de mai de l'an 2002, des mots avaient pris possession de mon cerveau, comme si quelque fantôme du Père-Lachaise me raccompagnait rue du Roi-de-Sicile.

Paris passion
Paris frisson
Paris au printemps
Paris éternellement

Pierre Schneider

Table des matières

Imprimé sur du papier 100 % postconsommation
traité sans chlore, certifié Éco-Logo
et fabriqué dans une usine fonctionnant au biogaz.

Marquis imprimeur inc.

2007